神奇校车
跟踪昆虫

文：〔美〕乔安娜·柯尔
图：〔美〕布鲁斯·迪根

四川出版集团　四川少年儿童出版社

本书由美国学子出版有限公司（Scholastic Inc.）授权出版
版权合同登记号：图引字 21-2005-045 号

作者在此感谢美国自然历史博物馆的路易斯·N·苏金，感谢他为本书提供的专家建议。

图书在版编目（CIP）数据

跟踪昆虫/（美）柯尔著；（美）迪根绘；漆仰平译.
成都：四川少年儿童出版社，2005（2008.8 重印）
（神奇校车）
ISBN 978 - 7 - 5365 - 3564 - 0

Ⅰ.跟... Ⅱ.①柯...②迪...③漆... Ⅲ.昆虫－儿童读物
Ⅳ.Q96 - 49

中国版本图书馆 CIP 数据核字（2005）第 083281 号

神奇校车——跟踪昆虫　（美）乔安娜·柯尔著　（美）布鲁斯·迪根绘　漆仰平译

策　　划：颜小鸥
责任编辑：李奇峰　漆仰平
装帧设计：曹雨锋
责任校对：章　秀
责任印制：王　春

出　　版：四川出版集团　四川少年儿童出版社
网　　址：http://www.sccph.com　http://www.chinesebook.com.cn
地　　址：四川成都槐树街2号　　邮政编码：610031
电　　话：028－86259232(发行部)
经　　销：全国新华书店　　印　　刷：成都东江印务有限公司
成品尺寸：185mm×130mm　印张：3.25　字数：56 千
印　　数：32 001－37 000 册
版　　次：2005 年 10 月第 1 版　印　　次：2008 年 8 月第 7 次印刷
书　　号：ISBN 978 - 7 - 5365 - 3564 - 0
定　　价：8.00 元

昆虫远在古生代石炭纪就出现在地球上了，距今约有3亿多年的演化历史。它们是现今世界上种类与数量最多的动物。目前经过命名的昆虫已有100万种以上，约占所有动物的3/4。也有的学者认为地球上存在着300～3000万种昆虫，我国的昆虫种类约占全世界的10%左右，也应有10万余种。昆虫大多数是无害的，如传粉昆虫、捕食性和寄生性天敌昆虫、食用昆虫、药用昆虫等，都在造福于人类。全世界能造成危害的昆虫只有3000余种，如蝗虫、蚜虫、蚊虫、螟虫等。

昆虫由于在地球上长期而成功的演化，它们在各种环境与生态系统和生物食物链中，都扮演着非常重要的角色，在维持地球生命系统中起着举足轻重的作用。例如，85%的显花植物中都属于虫媒植物，就是说以花粉和花蜜为食的昆虫起着为植物传粉的作用。这些传粉昆虫维持着植物的生存，从而提高了农作物与牧草的产量，并为其他动物和人类提供了丰富的食物。许多昆虫在维护自然界的生态平衡和物质循环与能量流动方面，发挥着极为重要的功能和作用。昆虫身体的巧妙结构、运动与感觉器官的特殊功能，以及行为适应的出色本领，不但为开展仿生学研究开拓了广阔的应用前景，还为解决生物学和生态学的某些理论问题提供了重要的基础。

"昆虫世界"是一个非常神秘的世界，也是一个与人类有着千丝万缕联系、奇妙无比、深不可测的美丽而多彩的世界。昆虫遗传的多样性，影响着生物界的多样化。

> 青天白云罩银山，
> 绿海彩蝶飘林间。
> 瓢虫螳螂隐花草，
> 黄蜂蜻蜓溪流涧。
> 神奇校车舞翩跹，
> 昆虫世界探因缘。

陈永林
中国科学院动物研究所研究员

介　绍

　　我是汪达，是弗瑞丝小姐班上的学生。

　　你可能听说过弗瑞丝小姐（我们有时就叫她"弗老师"）。她是个特别棒的老师，但也有一点点奇怪。科学课是弗老师的最爱，而且她从来没被难倒过。

　　弗瑞丝小姐带我们乘坐神奇校车，进行了许多次实地考察。相信我，所有事情都神奇之极！只要坐上那辆校车，我们永远猜不到接下来将会发生什么怪事。

弗瑞丝小姐很喜欢带给我们惊喜。我们呢，也有办法可以猜到她脑子里正在策划的奇特课程：只要看看她的打扮就可以啦！

一天，弗瑞丝小姐以这套装扮亮相了。她的衣服上爬满了虫子，我知道了，一趟"野"外大探险马上就要开始了。

我说的是"野"，一点儿没错！想听整个故事吗？接着往下看吧……

1

"给我的斑点和旋风让路！"我叫着。斑点和旋风是我的宠物瓢虫。

我小心翼翼地捧着薄纸盒走进教室。同学们都在自己的座位上，正忙着把外套、午餐和书包放好。挺走运的，没人撞翻我的纸盒，我安全抵达了座位。

"你给纸盒取名字了吗？"蒂姆边说边盯着盒子看，"真古怪！"

"在弗瑞丝小姐的班上，"卡洛斯指出，"'古怪'是正常的！"

"别提了！"阿诺德叫着。

"可是，给纸盒取这个名字还是很怪。"凯莎说。

斑点和旋风这个名字确实不适合纸盒，但对我的宠物瓢虫来说，就是最好的！我把盒子拿给大家看。

"真棒！"多罗西很羡慕地说。

我在纸盒的开口上面贴了一张网，多罗西看见盒子里的斑点和旋风，它们正在叶子上缓缓地爬着。

多罗西说："它们很像身挂黑点、长着腿和触角的小红球。"

凯莎说："从没听说过，瓢虫也能当宠物。"

"嗯,我不太懂怎样照顾斑点和旋风。"我承认,"我昨天才在我家后院发现它们,还不知道这些小东西吃什么。我把它们带来,就是想作进一步了解。"

"汪达,不止你一个人在想虫子。"蒂姆说,"看看弗瑞丝小姐的那身打扮。"

弗瑞丝小姐刚走进教室,或许我该说,她"嗡嗡"地飞进教室。她的发带上伸出两只假触角,全身上下满是蜻蜓、甲虫和其他虫子的图案。

弗瑞丝小姐整个人看起来活像一只昆虫。和往常一样,我们的班级蜥蜴——里兹,趴在她的肩膀上。

"在我以前的学校,老师从不会打扮成这副'虫'样。"菲比说。

但我看到这些动物真高兴!如果谁能告诉我该怎样照顾斑点和旋风,那个人一定是弗瑞

丝小姐。我急忙跑到她跟前，请她看瓢虫。

"汪达，我不仅能告诉你关于瓢虫的故事，而且能告诉大家很多昆虫的知识！"弗瑞丝小姐说。

瞬间，弗瑞丝小姐的"那种"眼神又出现了——就是告诉我们，她又在筹划一次实地考察。

多罗西的笔记
昆虫到处有

你知道吗，地球上有100多万种不同的昆虫。比其他任何种类的动物都要多。

昆虫住在世界各地，包括森林、山上、海边、沙漠，甚至在南北极的冰天雪地里都有它们的身影。

大家都知道接下来该做的事情了。

"上车吧！"她说，"我们得去公园考察，这样才能与昆虫亲密接触。"

"太棒啦！"我欢呼。

我把瓢虫盒放进背包里，留了一条缝，好让斑点和旋风能呼吸到新鲜空气。接着，我就和其他同学钻进了校车。

系好安全带后，我们才发现拉尔夫不见了。我不知道他为什么会迟到。

　　终于，拉尔夫急急忙忙地跑进来，手上还抱着个玻璃缸。

　　"因为我们要上昆虫课，所以我想把我的昆虫宠物带给大家看。"拉尔夫说。

　　我无法想像缸里的东西。那是我见过的个

这就是狼蛛

拉尔夫

　　狼蛛有毛毛的脚，八只眼睛，和毛毛的身体。它们的颜色有黄褐色、红褐色、深褐色及黑色。狼蛛是地球上最长寿的蜘蛛，有些能活到二十多岁！

　　狼蛛也很大。一只成年狼蛛的腿伸出来可达二十五厘米长。它们生活在地球上所有温暖的地方。

头最大、颜色最深、毛最多的蜘蛛！看着真让人
发毛，但拉尔夫好像把那只令人毛骨悚然的
"虫"当成可爱的泰迪熊。

"这是'毒牙'，我的狼蛛。"他骄傲地介绍，
"是我在爪爪宠物店买的。"

来自弗瑞丝小姐的讲堂

一个名字代表了什么

　　科学家有一套特殊的系统，把所
有动物进行分类。根据动物是冷血还
是恒温，有脊椎还是无脊椎等许多分
类方法，把它们分在不同群里。每种动
物都有一个学名，从中可以知道它属
于哪一群。

"咦？拉尔夫，蜘蛛不是昆虫呀！这个你知道吗？"多罗西问道。

多罗西这句话让拉尔夫非常诧异，说实话，我也很诧异。

"它不是昆虫？"我奇怪地问。

多罗西从背包里拿出一本有关昆虫的书，念道："蜘蛛属于蛛形纲，是昆虫的亲戚，但它们是两种完全不同的节肢动物。"

"昆虫和蜘蛛都属于节肢动物。"弗瑞丝小姐说，"而且，所有的节肢动物都有外骨骼。"

"外……什么？"拉尔夫问。

"外骨骼。"弗瑞丝小姐重复了一遍，"它们把骨头穿在身体外面，而不是放在里面。"

节肢动物？蛛形纲？外骨骼？这些名词搞得我很头疼！"我只是想知道我的瓢虫吃什么。"我说。

"你一定会知道的，汪达！"弗瑞丝小姐向

"昆虫" VS "蛛形纲动物"

昆虫和蛛形纲动物（蜘蛛的学名）是亲戚，但也有很大不同。昆虫有六只脚，而蜘蛛有八只。而且，蜘蛛没有触角和翅膀。

两只触角

头
胸
腹

两对翅膀

六条腿

瓢虫
（昆虫）

头胸部（头／胸合在一起）

腹

八条腿

狼蛛
（属于蜘蛛类的节肢动物）

我保证，"不过，认识昆虫是重要的一步，你不觉得吗？"

弗瑞丝小姐从储物柜里拿出海报。她开车时，里兹就为我们举着海报。

凯莎说："所以，如果你有一只节肢动物，它的身体分成三大部分，共有六只脚，还长有触角，那它就是昆虫了！"

我补充道："就像斑点和旋风。"

弗瑞斯小姐说："没错！瓢虫是昆虫，它们属于甲虫类。"

"毒牙有八条腿，身体分成两部分，而且没有翅膀和触角，所以它是属于蜘蛛类的节肢动物。"拉尔夫说。

"正确！"拉尔夫的话得到了弗瑞丝小姐的肯定。

当我们了解到昆虫知识的同时，也来到了公园。

弗瑞丝小姐把神奇校车停在一片开阔的草坪旁边。草坪的一边连着绿色的森林，另一边傍着清澈的池塘。我从校车里能看见蜻蜓和其他昆虫围在四周嗡嗡地飞着。

"这里真是了解昆虫的好地方！太棒了！"菲比说。

大家一窝蜂挤了出去。

为了照看斑点和旋风，我抱着背包，可没注意到拉尔夫也急着要冲下车。

"啊！"

我俩挤在一起，跌出校车。我的背包掉了，拉尔夫的玻璃缸也飞了。所有东西都重重地摔到了草地上——包括拉尔夫和我。

过了一会儿，我才发现那个装斑点和旋风的盒子已经被甩出背包——上面的网也没有了。

"瓢虫不见了！"我哭了。但仔细想想，也没那么沮丧了，"也许它们需要回到大自然！"

"毒牙呢？它也要待在大自然里吗？"卡洛斯问。

我看见玻璃缸翻了，缸底的小细石散落在草地上。毒牙也不见了。

"抓住它！"拉尔夫紧追毒牙，也不管地上的帽子了。可惜太迟了。

家就是"栖息地"

卡洛斯

动物居住和成长所需要的环境叫做它的"栖息地"。

养宠物之前，一定要先确认你能否提供适合它的食物和"家"。

毒牙迈开八条长腿急速逃进高高的草丛里，一眨眼的工夫，就消失在我们的视线里。

"糟了！"拉尔夫皱起眉头，"狼蛛习惯温暖的天气，但这里很快就会变冷，它能有什么吃的呢？"

"毒牙通常吃什么？"凯莎问。

"所有的蜘蛛都是掠食者，"拉尔夫告诉我们，"它们把其他动物捕来当食物。"

　　我不喜欢听见这种事，一点儿也不喜欢。"它吃哪些动物？"我问。

　　"大部分是昆虫，"拉尔夫说，"像蟋蟀、蝗虫、甲虫等等。"

　　我气喘吁吁地说："弗瑞丝小姐，你刚才是不是说我的瓢虫是甲虫的一种？如果斑点和旋风变成毒牙的午餐怎么办？"

掠食者与猎物

汪达

　　掠食者是指以猎捕其他动物为生的动物。而被掠食者吃掉的动物就是它的猎物。

21

2

我突然觉得,让我的瓢虫宝贝回归大自然好像不是个好主意。老天!我得想办法——一切办法——确认斑点和旋风没有变成毒牙的猎物。

"别担心,汪达。毒牙今天早上刚吃了一只蟋蟀,它可能还不饿。"拉尔夫对我说,但他的眼神里充满了忧虑,"爸爸提醒过我,让我不要把毒牙带出来。万一它咬人怎么办?万一我永远失去它怎么办?"

"我们必须找回毒牙和瓢虫。"多罗西说,"这样就可以保证一切都平安无事。"

多罗西总有好点子。但在这么大的公园里,到哪儿去找小小的瓢虫和蜘蛛呢?

坏消息和好消息

多罗西

坏消息：狼蛛口中有毒液。

好消息：狼蛛并不经常咬人。即使人类被狼蛛咬了，也不会太严重，只是会有一些肿、麻和痒的感觉，但这些症状很快就能消失。当然，被狼蛛咬后，为了安全起见，还是要清洗伤口，防止感染。

我早该知道弗瑞丝小姐会有办法的。

"别担心，"弗瑞丝小姐告诉我们，"像我常说的，了解昆虫的最佳方法就是变成昆虫。同学们，回到校车上去吧！"

甲虫狂潮

蒂姆

> 甲虫是所有昆虫中数量最庞大的种类，共有五十多万种！地球上有四分之一的动物是甲虫。所以，不论你走到哪里，都有机会看到甲虫！

拉尔夫和我都急着要把宠物找回来，所以我们毫不犹豫地拿起自己的背包。拉尔夫急得把棒球帽忘在草地上了。等大家都上车后，弗瑞丝小姐摁下仪表板上的一个按钮。神奇校车立刻缩到甲虫那么小。这只是开场！

"嘿！神奇校车正长出腿来！"蒂姆说。

多罗西看着窗外说："有六条腿！身体分成

三部分，还长了两只触角。我们变成昆虫啦！"

"我们可不是普通的昆虫，我们是虎甲虫。看看这身特别装备！"弗瑞丝小姐说。她推了一下操纵杆，接着，一对坚硬而明亮的绿翅膀从校车顶部弯弯地伸出来。

"所有甲虫都有两对翅膀，"弗瑞丝小姐告诉我们，"前面的翅鞘有保护作用。它们用后面的更加柔软的翅膀飞行。"

坚硬的翅鞘

菲比

甲虫和其他昆虫不一样的地方是"翅鞘"——就是坚硬的前翅。翅鞘就像盔甲一样，保护着甲虫的后翅和柔软的身体。

25

藏猫猫

凯莎

很多甲虫都有色彩鲜艳的翅鞘，还有红棕色的斑点。这种特殊的斑点会让掠食者分心，让它们看不见整只甲虫。这样就使甲虫更容易和周围的环境混在一体，从而逃脱掠食者的捕食。

知道了斑点和旋风可以用它们的圆点翅鞘保护自己，我非常高兴。但我还是希望能快点儿找到它们啊！

弗瑞丝小姐似乎看透了我的心思："现在，找到宠物的唯一办法就是找到它们的食物。"

"你的意思是说，如果找到瓢虫和蜘蛛的食

物种类，我们就能找到斑点、旋风和毒牙吗？"
卡洛斯问。

弗瑞丝小姐笑着说："对！不怕脏，来冒险，
出发去把虫子找！"

接着，弗瑞丝小姐摁下另一个按钮，校车朝
森林飞去。在草地上，校车按"之"字形来回穿
梭，活像一只虎甲虫。

告诉你吧，从甲虫的视角看世界，真是大不

27

随处可见的虎甲虫

卡洛斯

除了南极洲和澳大利亚的塔斯马尼亚岛外，世界上其他地方都有虎甲虫。它们有长长的下颚、长长的腿，大大的眼睛、宽宽的头。所有的虎甲虫全都色彩鲜艳，它们的翅鞘通常都是明亮的，带有斑点。

所有的虎甲虫都是掠食者，它们有强劲的颌骨，用来咬碎它们的猎物。

一样哦。每棵小草都像树一样高，小小的土块就像大大的石头，真正的树木可就是超级的庞然

大物了。

当弗瑞丝小姐开着神奇甲虫校车在树间穿梭时，蒂姆大喊："前方有甲虫！"

几十只明亮的绿色虎甲虫在空地上狂奔。它们可不孤单，想孤单都不行！好多蚂蚁、毛毛虫、蜘蛛和其他小虫子在附近的叶子上闲逛。不能肯定我是不是喜欢被一堆与自己一样大的动物包围的感觉。但我得赶紧去找斑点和旋风。

"嗯，我们找到虎甲虫了，但它们的猎物在哪里呢？"我有些纳闷。

这时，一只虎甲虫正从我们前面跑过去，在追逐一只有棕色条纹的蜘蛛。

"这样的场景能回答你的问题了吗？"多罗西说。

拉尔夫皱起了眉头，说："我希望毒牙能离虎甲虫远点儿。"

多罗西翻开她的昆虫书，指着上面的一页

给大家看。"这儿写着：虎甲虫是掠食者。"她说，"虎甲虫会捕捉其他昆虫和节肢动物，作为自己的食物。"

"其他昆虫？"我重复了一遍，"比如瓢虫？"

"昆虫确实有互相吞食的可能！"弗瑞丝小姐说道。

"这是一个虫吃虫的世界。"卡洛斯的反应

阿诺德的问答

问：所有甲虫都是掠食者吗？

答：不是的。有些甲虫吃植物，有些甲虫是食腐动物。食腐动物吃腐烂的植物和已经死去的动物，它们不去猎捕活的猎物。

向来很快。

"不要讲了!"阿诺德用手捂住耳朵,"我可不想知道这么多!"

弗瑞丝小姐继续讲:"瓢虫有自我保护的方法,能对抗掠食者。它们用这种方法也能对付其他甲虫。"

听到弗老师这样讲,我高兴极了。

"根据我的资料显示,瓢虫和其他甲虫会放出很难闻的气味,让掠食者躲得远远的。"多罗西说。

菲比皱起鼻子说:"真没想到发出臭味竟然是好事。但这的确是不让掠食者吃掉的好办法。"

"我的书上说,当掠食者在周围时,瓢虫也会装死。"多罗西接着讲,"这是因为许多掠食者不会攻击静止不动的昆虫。"

突然,我看见有东西在动。有个红红黑黑的

带着"警告牌"的瓢虫

汪达

> 对鸟类来说，红黑色或黄黑色的瓢虫就像警告标志。带有这几种颜色的昆虫多数都不好吃，所以鸟类就慢慢学会不去碰它们。这对瓢虫来说可真是喜讯！

东西从空地边的野花丛中飞出来。

"斑点和旋风！"我叫出来。

"哈！"弗瑞丝小姐开着校车穿过空地，直奔野花丛。

这时，我们看见蚂蚁，红色的蚂蚁，多得不计其数。它们就像一块红色的地毯，在成群移动着。

"不要啊！"凯莎极力吸气。

可看上去，弗瑞丝小姐就像中了昆虫头彩。

　　"那些蚂蚁正在做它们应该做的事情。"老师向大家讲，"猎捕食物。"

　　"难怪斑点和旋风要飞出去，它们不想成为猎物！"蒂姆说。

　　阿诺德的脸顿时被吓绿了。"我也不想！"他喊道。

　　这群蚂蚁很像可怕的军队，像六条腿的外星人，可这还不是最糟的。

　　最糟的是，每一只蚂蚁都直直地向我们行进过来！

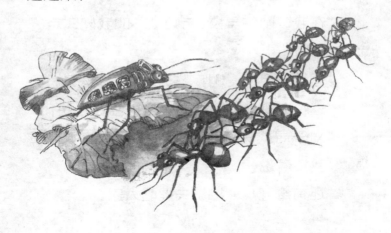

3

“坐稳！”弗瑞丝小姐对大家说，“我们要飞走啦！”

她拉动仪表板上的操纵杆，校车顶部两个坚硬的翅鞘随后张开。神奇甲虫校车跃向空中，飞过了那群可怕的蚂蚁。

“在我以前的学校，老师从不叫我们飞走。”菲比说。

“还是安全第一啊！”多罗西大大松了一口气，“逃脱掠食者的魔掌，有翅膀当然方便！”

“对于寻找失踪的瓢虫来讲，翅膀也很重要。”我接着说。

“还有毒牙！”拉尔夫提醒大家。

当神奇甲虫校车在天空中嗡嗡地飞翔时，我们看着窗外。

卡洛斯指着刚才地上那群蚂蚁说："呃，我没看见半只瓢虫或毒牙，倒是瞧见一只毛毛虫！它说什么也摆脱不了那群蚂蚁了。"

地上有只绿色的毛毛虫正在努力逃脱，但它的速度实在不够快。眨眼间，蚂蚁爬满了它的全身！

"发生什么事了？"蒂姆问。

"蚂蚁正在蜇毛毛虫。它们的刺同时射出有毒的分泌物。"弗瑞丝小姐告诉我们，"当好几只蚂蚁蜇咬毛毛虫后，毒素就强到足以毒死毛毛虫。这就是小小蚂蚁能干掉比它们大得多的猎物的办法。"

离开可怜的毛毛虫时，我很难过，但我们还有任务。

"我不相信斑点和旋风就这样不见了！"我

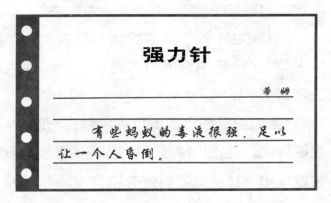

强力针

蒂姆

有些蚂蚁的毒液很强，足以让一个人昏倒。

发誓，"一定要找到我们的瓢虫和毒牙！"

神奇甲虫校车在树枝间飞着。我们肯定已经找遍了树林里的每一棵灌木，每一朵花。但大家发现我们的宠物了吗？没那么幸运啊。

"看！"蒂姆指着树枝下的一片空地，那就是弗瑞丝小姐刚才停神奇甲虫校车的地方。"那不是我们看到的那群蚂蚁吗？"他问。

千真万确，正是那队红蚂蚁。它们仍然抓着毛毛虫。要搬动那么巨大的东西，对蚂蚁们来说似乎太困难了。但它们还是把毛毛虫抬了起来，

把它拖出树林。

"蚂蚁为什么不就地吃掉毛毛虫呢？"拉尔夫问，"拖走那只庞然大物应该是个很大的工程。"

"毛毛虫是整个蚂蚁群的食物。"弗瑞丝小姐解释说，"当部分蚂蚁捕到猎物时，会把食物带回巢里，让所有的蚂蚁分享。"

"我懂了。蚂蚁们同心协力，来保证整个蚁

蚂蚁很强壮

阿诺德

蚂蚁可以抬起比它们自身重20倍的东西。打个比方，你的体重是50千克，假如你和蚂蚁一样强壮，那你就可以举起一辆小轿车！

来自弗瑞丝小姐的讲堂

蚂蚁的集体生活和工作

蚂蚁是社会性昆虫，它们成群地生活在一起，称为群体。不同的蚂蚁有不同的分工。

· 蚁王的工作是交配和产卵。通常，每个群体只有一只女王。
· 雄蚁只有一个工作，就是和女王交配。
· 工蚁是不能生育的雌蚁。它们做群体里其他的所有工作，包括捕猎、保护和修理蚁丘、照顾蚁卵、喂食女王和小蚂蚁。

群的成长和健康。"卡洛斯说道。

"说对了,卡洛斯。蚂蚁是昆虫世界里最富有团队精神的!"弗瑞丝小姐说,"蚂蚁虽然很小,但当它们联合起来,就可以做出很大的事情!"

"蚂蚁可以做大事——比如捕杀那只毛毛虫。"蒂姆说。

在我们下面,那群蚂蚁正朝一个大树根旁搬着毛毛虫,那里有个用细枝和树叶堆成的大土丘。

"那是它们的巢吗?"阿诺德问。

弗瑞丝小姐点了点头,说:"在蚁丘里,有数以千计的蚂蚁在努力工作着,照顾蚁卵。孵育中的蚁卵需要很多食物才能健康地成长为一只成蚁。"

想不到昆虫要经历这么多变化!

"我只希望斑点和旋风不要'变'成虫食。"

甜蜜的家

菲比

　　很多蚂蚁住在巢里，这种巢叫"蚁丘"。蚂蚁用细枝、树叶和泥土在地上造一个小土丘。它们爬进小丘里，钻入地下，修建出许许多多的通道和房间。

我说道。

　　弗瑞丝小姐踩了一脚油门，神奇甲虫校车又飞离地面。我们没看见我的瓢虫和拉尔夫的狼蛛，但见到了一大群非常小的昆虫。它们大概有几百只，全都聚集在附近的几枝花梗上。

　　"你们现在看到的是蚜虫。"弗瑞丝小姐向大家讲解，"它们正从花梗中吸取汁液。"

神奇校车

来自弗瑞丝小姐的讲堂

小虫大蜕变

　　所有的昆虫都是由卵孵化出来的。大部分昆虫宝宝叫幼虫，它们与成虫的长相大不一样。幼虫要经过很多阶段才会变成成虫，这个过程叫做变态。下面就是变态的过程：

　　① 幼虫由卵孵化出来，长大后，会把皮脱掉。这个过程叫做"蜕皮"。

　　② 经过几次蜕皮后，幼虫就变成"蛹"。在这个阶段，幼虫会变成成虫的样子，有六条腿、两根触角，身体分成三部分。

　　③ 之后，成虫就不再蜕皮了，变态完成！

42

"能看到不吃虫子只吃植物的昆虫,真让人高兴!"凯莎边看窗外边发感慨。

弗瑞丝小姐继续说:"事实上,蚜虫为园丁和农民带来许多麻烦。它们的饮食习惯会杀死很多植物和树木。"

看得出来,我们需要花更多的时间去学习昆虫知识,但我对找到我的瓢虫宝贝更有兴趣。它们还处于失踪状态呢!我正要提醒弗瑞丝小

食量惊人的蚜虫

多罗西

蚜虫非常小,但它们的食量惊人,会引起大量的植物损害。蚜虫的种类很多。它们吃各种植物,包括花朵、蔬菜和果树。

姐该去寻找我们的宠物时，她开始自言自语了。

"嗯，要想找到毒牙和瓢虫，就需要更好的眼力。"弗瑞丝小姐说道。

当看见她眼中那道光时，我知道弗瑞丝小姐的脑子里又有怪主意了。乖乖，我猜中了！

"同学们！"她说，"让我们来一次小小的'变态'旅行吧！"

4

"有种感觉告诉我，会有变化发生——巨大的变化！"凯莎说。

弗瑞丝小姐摁下一个按钮，神奇甲虫校车变回原来的样子了。

"不是只有校车变了，"阿诺德说，"我们也变了！"

他说的一点儿没错，我们正在变。怎么回事？我们伸出了触角，长出两对长长的、闪光的蓝绿色翅膀，六条腿，身体分成三部分，还有两只突出的大眼睛。

"我们变成蜻蜓了！"我说。

"这就是'变态'！"卡洛斯对我说。

弗瑞丝小姐用她的四只翅膀飞出了神奇校车。"蜻蜓算是昆虫世界中眼力最好的。"她说，"对于发现其他昆虫这种事，它们可是常胜将军。咱们走吧！"

我们把里兹留在神奇校车的驾驶座上，跟在弗瑞丝小姐后面飞了出去。

眼见为实

卡洛斯

蜻蜓头部的大部分都被两只复眼占满了。复眼是由很多小眼睛组成的。每只复眼都由两万到两万五千个小小的眼睛组成。这就是它们的视觉力量！

复眼特别擅长看移动的东西——比如飞行中的昆虫。

当飞在天上时，我们的翅膀会发出嗡嗡声。我用自己的新复眼往外看。每个人都戴上奇特的护目镜，可以像蜻蜓一样看东西。太神奇了！

"用这么多只眼睛一起看！"多罗西说，"斑点、旋风、毒牙很快就会'近在眼前'！"

她没开玩笑。大家飞出树丛，刚来到耀眼的阳光下，我就发现我的宝贝瓢虫啦！

"它们正飞向池塘。"我激动地大喊，"快追！"

我们跟在它们后面。至少阿诺德、多罗西、卡洛斯和弗瑞丝小姐和我是这样。其他人留在后面找毒牙。

"好想你们呀！"我大喊。

它们听到了吗？不可能！斑点和旋风以前所未有的速度把我们甩开。没等我们追上，它们已经消失在池塘旁高高的草丛里了。

"我担心斑点和旋风把我们当成掠食者

了！"弗瑞丝小姐告诉大家，"这可能是它们藏起来的原因。"

"毕竟，掠食者在吃到虫子之前，必须得先发现猎物。"卡洛斯说。

如果我的瓢虫是用"静止不动"和"混入环境"的方法来保护自己，那它们做得就很棒，棒得有点儿过头了。我们该怎样找到它们呢？

"斑点和旋风为什么会以为咱们要吃掉它们呢？"阿诺德问。

"蜻蜓是超一流的掠食者。"多罗西回答，"而且速度极快。"她正说着，一只蜻蜓嗖地飞近我们。

突然，那只蜻蜓在半空中逮住一只蚊子。阿诺德"哇"地大叫了一声，急忙后退。

"亲眼目睹食物链好奇妙，对吧？"弗瑞丝小姐兴高采烈地说，"蜻蜓猎手的本领真是叫人叹为观止。看到它是怎么用前腿和有力的下颚

蜻蜓的速度

汪达

蜻蜓不但能向前飞行，而且可作反向后退飞行。它们能迅速改变行进路线，所以很难被跟上。蜻蜓的速度也很快，每小时可达48千米，比多数孩子骑车从坡上冲下时还要快。

抓住蚊子的吗？"

我不敢看下去了："各位，咱们得去找我的瓢虫了……在这只蜻蜓找到它们之前！"

大家向池塘边那片高草丛飞去。还有很多蜻蜓停在高高的草上，四只翅膀全都扇动着。

这不是我想看到的，一点儿都不是！"这

么多猎手在周围，斑点和旋风绝对不敢现身。"
我说。

"别忘了，"弗瑞丝小姐说，"在昆虫世界里，
最厉害的猎手也可能成为猎物。"

听了这句话，我们都很惊讶。

"即使是蜻蜓？"卡洛斯问。接着，他用自
己的蜻蜓翅膀试了几招特技，忽左忽右，嗖嗖地
飞着，速度极快，弄得我头昏眼花。"哪种昆虫

油炸蜻蜓

阿诺德

你知道吗，世界上有些地方
的人把蜻蜓当成一道美味佳肴，
他们吃洋葱炸蜻蜓。

能这么大，飞得这么快，又有这么好的眼力抓住我们呢？"

阿诺德用他的复眼护目镜往我们背后瞄了一眼。"苍蝇怎么样？"他说，"那个灰色的大家伙，腿上长满刺，黑色的斑纹，满脸胡须。"

"听上去像一种食虫虻，"弗瑞丝小姐说，"事实上，它们的确吃蜻蜓。"

阿诺德咽了一口唾沫，说："我就怕这个！可是，现在有一只食虫虻，就在我们的后面！"

5

在昆虫这堂课上，我学到的可比预想的多多了。饥饿的蚂蚁，杀虫的蜻蜓，还有现在这个！

我忍不住去偷看后面的食虫虻。当我看到它时，真希望自己没去瞧。那只虻真大呀！它正朝我们这边飞来。

"快！大家快降落！"弗瑞丝小姐指挥着我们，向池塘边的一片绿地飞去。

其实根本不用她催。食虫虻正嗡嗡地逼近，我们一秒钟都不敢浪费。大家拍着蜻蜓翅膀全速前进，直向那片草地冲去。

"我们好幸运，蜻蜓的速度真快啊！"我说。

虽然我们飞得很快，但食虫虻还是穷追不舍，直到我们落在了草地上。

"唉，它终于飞走了。"阿诺德说完便躺在高高的绿草上休息，四只翅膀向两边展开。

"食虫虻和蜻蜓都喜欢在半空捕捉猎物。"弗瑞丝小姐说，"看见静止的昆虫对它们来说是很困难的，所以，它们对我们失去了兴趣。"

卡洛斯看看大家，说："这是我第一次因为

食虫虻是个好猎手

卡洛斯

　　食虫虻是行动迅速的掠食者，它们猎捕飞行中的昆虫，比如黄蜂、蜜蜂和蜻蜓。它们甚至还猎捕比自己大的猎物。

其他动物认为我无趣而高兴。"

"根据我的资料显示，食虫虻捕猎时有个秘密武器。"多罗西看着食虫虻飞过空中时说，"看见它尖尖的嘴部了吗？"

我们怎么可能错过呢？那东西从虻的毛脸向外伸出，看起来像尖尖的喙。

"食虫虻用嘴刺猎物。"弗瑞丝小姐解释道。

进 食

凯莎

食虫虻把唾液和消化液射入猎物体内。这使猎物瘫痪，体内器官变成液体。然后，食虫虻就可以吸干猎物了。

"噢！怪不得我妈妈说飞虫都是害虫呢。"阿诺德说。

"掠食的飞虫不全是坏蛋。像食蚜虻吃的就是杀死园艺植物的虫子。"弗瑞丝小姐纠正道。

"就像我们看到的，从野花中吸汁液的蚜虫吗？"我问。

弗瑞丝小姐点点头："没错！如果昆虫捕食者没有吃掉蚜虫和花园里的其他害虫，就会有更多的植物被毁掉。"

"我以前从没想过把飞虫当朋友。"卡洛斯说，"我在想，即使是掠食性昆虫，也会做好事！"

这时，食虫虻正在追赶一只大黄蜂。喔！我能想像接下来会发生什么事。"离开这里吧！"我提议。

我们从池塘边飞出来，在草丛、矮灌木和树林间寻找斑点和旋风。到处都找不到它们！但

所有的飞虫都是掠食者吗？

阿诺德

不是！很多飞虫，比如蚊子就是食客，专叮咬比它们大的动物，以这些动物的血作为食物，但蚊子不会杀死它们。

其他飞虫，比如家蝇，就是吃腐食的。它们吃自己找到的食物，包括已经死掉的动物、老的植物、剩菜，甚至是动物的粪便。它们吃的东西里带有细菌，所以，腐食性昆虫常常散播病菌。

我们看见了拉尔夫、凯莎、蒂姆和菲比，他们正要落在盛开的杜鹃花枝上。

"有毒牙的踪影吗？"卡洛斯问。

　　拉尔夫摇摇头。他看起来真的很担心。我们也是。

　　弗瑞丝小姐扇动着她的四只翅膀，对拉尔夫说："记住，如果第一次没有成功，那就飞一次，再飞一次！"

　　这句话对我是个很好的激励。当我正准备

再出发搜寻时，听到多罗西的尖叫声——

"大家别动！"凯莎说，"又有一只昆虫猎手出现了。"

这是我最不希望听到的一句话。我环顾四周，可除了树枝、树叶和花以外，什么都没有。

"那里！"凯莎指着我们左边的绿枝。

至少那东西看起来像树枝。然后，我看见一个长长的身体，有六条像拐杖一样的腿，一个三角形的头，头上有两只突出的复眼，还有触角。没错，它身体的各部分都属于昆虫。这只虫子一动也不动地站着，看起来就像灌木的一部分。

"哇！是螳螂！"我大叫。

6

那只螳螂的长相真是绝妙！我们停在杜鹃花上怔怔地看着。

"螳螂是神奇的伪装大师。"弗瑞丝小姐向大家讲述着，"螳螂的体形和颜色使它们很容易与环境融合在一起。它们可以长时间保持不动，其他动物根本不知道它们就在那里。"

"等到发现时，已经来不及了！"卡洛斯说。

阿诺德开始发抖："快告诉我，那只螳螂没追赶我们。"

"根据我的资料显示，螳螂一般不会追逐猎物。"多罗西说，"它们会待在一个地方，等待路过的昆虫，然后袭击它们。"

多罗西的笔记

　　螳螂属于口脚类昆虫。又因为它们在休息或等待猎物时，举起前脚的样子很像在祈祷，所以也叫祈祷螳螂，或者叫合掌螳螂。

　　螳螂的脖子很灵活。这使它可以在身体其他部分完全不动的情况下，只靠旋转头部就能找到猎物。

　　弗瑞丝小姐说："完全正确，多罗西！但为了稳妥起见，我现在就去叫咱们的安全座驾！"

　　正说着，弗瑞丝小姐吹了声响亮的口哨。不一会儿，里兹坐在神奇校车的驾驶座上就来了。

　　能坐进校车，我从没这么高兴过。不仅是因为我们变回了小孩儿，更是因为我们可以透过

后车窗安全地观察螳螂。

"我知道咱们已经在校车里了，但还是和那只螳螂保持点距离吧！"拉尔夫隔着车窗，看到螳螂前脚上的尖刺，说，"我可不想被那个东西抓到。"

"书上说，强壮的腿是螳螂成为优秀猎手的另一个原因。"多罗西告诉大家，"螳螂用前腿抓住猎物；然后咬住猎物，让它动弹不得；最后吃掉活猎物。"

"真恶心！"菲比说。

"掠食性昆虫看起来很残忍，"弗瑞丝小姐说，"但别忘了，每个活着的生物都需要食物。昆虫猎手通过吃掉其他虫子，帮助地球上的所有生物种类保持均衡。"

"别看螳螂好像是昆虫世界里的国王，但它们仍然要保护自己，要与其他猎手作斗争，对吧？"卡洛斯说。

"比如鸟类。"凯莎边说边指着一只从我们头顶飞过的红雀。

弗瑞丝小姐点点头，说："还有蝙蝠。但螳螂自有办法保护自己的安全。它们知道如何保持不动，同时，它们还有非常好的听觉。"

当我们观察灌木上这只螳螂时，它连下颚都没动一下。突然，我看到有别的东西在动。两

讲究卫生的螳螂

菲比

螳螂吃完东西后，会把脸擦干净！

螳螂也是挑剔的食客。如果猎物身体的某个部分掉了，它们是不会捡起来吃的。

听

多罗西

很多种螳螂都有一只特别的耳朵，帮助它们听到蝙蝠捕猎时发出的信号。螳螂一旦发觉有蝙蝠飞来，就会迅速逃离现场！

只带黑色斑点的红瓢虫!

"是斑点和旋风!"我好高兴。

拉尔夫挠着头，看着周围说："我还是找不到毒牙!"

我也很担心毒牙，但能看到我的瓢虫宝贝真叫人开心！它们向绽放的杜鹃花丛嗡嗡地飞来。

"啊呃!"蒂姆咬了咬嘴唇，看着螳螂说，

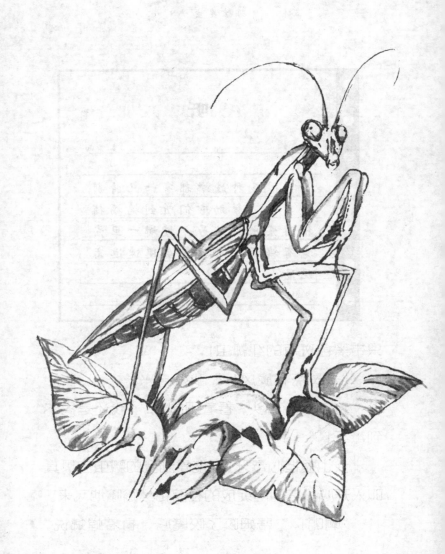

"不只是我们看见斑点和旋风了……"

　　螳螂的复眼一直紧盯着我那两只飞舞的瓢虫。

　　糟了！这下糟了！可我们能怎么办呢？

　　转瞬间，螳螂以闪电的速度动起来！

快

蒂 姆

　　螳螂的出击十分迅速，只要 0.03～0.05 秒的时间。它们的行动太快了，人脑根本反应不过来。

7

"我看不下去了！"菲比说。

相信我，我可没疯狂到想看我的小瓢虫被螳螂的刺腿搅碎的情景！斑点和旋风不该变成其他昆虫的午餐！

可你知道发生了什么？大家都忙着看螳螂，没注意到旁边的蜘蛛网。这张网黏黏的，结在树枝和杜鹃花丛间。当我终于发现它时，螳螂已陷在网中央。回头再看斑点和旋风，它们已经飞远了。

"太好了！我的瓢虫安全了—— 至少是现在。"我如释重负。

"螳螂肯定没命了。"蒂姆指着旁边说，"看

那只蜘蛛！"

一只棕色的蜘蛛从网边爬出来，它沿着网线向螳螂冲过去。

"真准！"弗瑞丝小姐说，"螳螂一撞进网里，网就会颤动，这就给蜘蛛发去一个信号。"

"现在，蜘蛛的下一顿大餐已经上桌了。"凯莎说。

为什么蜘蛛不会被它的网黏住？

凯莎

蜘蛛了解自己的网。它们知道如何避开黏丝，只走在干丝网上。

蜘蛛也常把嘴巴上的油涂在脚上。万一不小心踩在黏丝上，这种油能把它的脚解救出来。

真不敢相信，蜘蛛能沿着干丝网行动得这么快。螳螂抵抗着，但没有办法从黏黏的网中脱身。蜘蛛抵达那里后，就用毒牙一口咬住螳螂的脖子。

卡洛斯说："哇！螳螂没吃到猎物，反倒成了别人的点心！"

"蜘蛛通过毒牙把毒液射进螳螂的体内。"弗瑞丝小姐解释着。

"你是说，就像我们看到的食虫虻那样吗？"我问道。

弗瑞丝小姐点点头，说："蜘蛛的毒液，有时能当即把猎物毒死，有时只是让猎物瘫痪。"

很明显，螳螂不动了。蜘蛛马上采取行动，用黏丝把那只螳螂捆得像一个昆虫木乃伊。

"蜘蛛不像蜻蜓和螳螂，它们不吃活猎物。"弗瑞丝小姐说道。

"没错，蜘蛛比较像食虫虻。它把毒液射入

超级坚韧的蛛丝

阿诺德

蛛丝是地球上最坚韧的物质之一——甚至比使用在高层建筑中的钢筋还要坚韧。一卷2.5厘米粗的蛛丝可以吊起50辆汽车！

猎物后，然后吸干猎物的汁液，这就是美餐了！"拉尔夫最后说，"毒牙就是这么吃东西的。"

"哎哟！"阿诺德嚷着。他像是病了。

我知道他的感觉。当蜘蛛把螳螂留下来走回网边时，大家全都松了一口气。

"我觉得已经学得足够多了。咱们离开这里吧。"阿诺德说。

弗瑞丝小姐坐到神奇校车的驾驶座上。我注意到拉尔夫十分安静。他紧咬着嘴唇,忧郁地盯着车窗外。

"弗瑞丝小姐,"我说,"我们一直没有看见'毒牙'。还有别的办法可以找到它吗?"

"当然有!"弗瑞丝小姐肯定地说,"我们已经从昆虫的视角看过公园了。现在,就去看看蜘蛛眼中的世界吧!"

超级能吃

卡洛斯

所有蜘蛛一年吃掉的昆虫总重量,比地球上所有人的体重之和还要沉!

73

　　她摁下仪表板上的一个按钮，校车长出了八条长腿，八只黑眼睛从前挡风玻璃伸出来。还有一条深棕色的条纹由前到后，从车身中间穿过，把身体分成两部分。

　　"只有变成蜘蛛，才能找到别的蜘蛛。"蒂姆说。

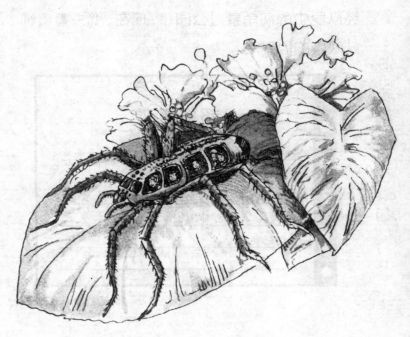

"就是这样！"弗瑞丝小姐说。

当她把神奇蜘蛛校车开下灌木丛朝地面行进时，凯莎好奇地盯着蜘蛛网。

"拉尔夫，毒牙的玻璃缸里为什么没有蜘蛛网呢？"她问。

拉尔夫耸耸肩说："并不是所有的蜘蛛都结

蜘蛛猎手

拉尔夫

有些蜘蛛猎手靠腿部力量和速度抓住猎物，而不是靠蜘蛛网。

有些蜘蛛躲在树叶或花里，静静地等待猎物。

有些蜘蛛住在洞里，当有猎物路过时，它们就会冲出来将猎物捉住。

网，毒牙用捕猎的方法抓猎物，而不是布网做陷阱。"

弗瑞丝小姐笑着听完他俩的对话。"你说得对，拉尔夫！"她说，"蜘蛛猎手是短跑健将。它们外出捕捉猎物，当看到食物时，会以非常快的

小心"黑寡妇"

汪达

"黑寡妇"是一种小小的、长着红斑点的亮黑色蜘蛛。这种蜘蛛的毒性比响尾蛇还要强15倍。

"黑寡妇"经常住在离人群很近的地方——比如柴堆、垃圾和垃圾桶的盖子里。"黑寡妇"有时是因为自卫才咬人。如果你被咬了，必须马上去看医生。

速度向猎物冲去。"

阿诺德紧张地看着四周:"每只有毒牙的蜘蛛都会射出毒液吗?"

"是的,不过别担心。大部分蜘蛛不会伤害人类。"弗瑞丝小姐保证道,"有些蜘蛛的确伤人,比如狼蛛和'黑寡妇',但它们只在受到威胁或觉得危险时才会咬人。即便如此,蜘蛛的叮咬通常也不会比蜜蜂的螯咬严重。"

"蜘蛛也不全是坏蛋。它们为这个世界做了许多好事。"拉尔夫说。

弗瑞丝小姐点点头:"拉尔夫说得对,全世界的蜘蛛每天吃下成吨的害虫呢!"

"蜘蛛真的做好事—— 特别是用八只'手'一起工作。"卡洛斯说。

"还有黏丝网。"我看着窗外,在我们的头顶上,螳螂仍被蛛丝牢牢地绑在蛛网上。"多亏蜘蛛和它的网,大家可以继续寻找宠物了。"

"当然啦!"弗瑞丝小姐开着神奇蜘蛛校车,离开花丛,回到地面,喊着,"又要去寻找昆虫啦!"

蜘蛛帮大忙

卡洛斯

蜘蛛吃携带病菌的苍蝇、蜇人的蜜蜂、叮人的蚊子、给衣服钻洞的蛾类幼虫,还有毁坏庄稼的昆虫。要不是有了蜘蛛,这个世界可不会这么安全舒适。

8

大家都在寻找毒牙、斑点和旋风。我们没能很快看到它们，但的确听到了一个声音。一阵嗡嗡的吵闹声。乖乖，动静极大！

"引擎出问题了吗？"蒂姆很奇怪。

还有更糟的。一只黄蜂！它正在神奇蜘蛛校车上方嗡嗡地飞着。

"让我猜猜，黄蜂也是掠食者！"我说。

"并不是所有的蜂都是掠食者，但这只是！"弗瑞丝小姐说，"很棒吧？"

"紧急警报！"多罗西说，"根据我的资料显示，有些黄蜂还捕捉蜘蛛呢！"

不知道为什么，弗瑞丝小姐看起来不像我

黄蜂面面观

多罗西

　　黄蜂、蚂蚁和蜜蜂属于同一类昆虫。它们的腰很细，这样尾部就可以转圈。在它的尾部末端是螫针——一个尖尖的、管状的、装有毒液囊的枪。

　　很多黄蜂是群居，像蚂蚁一样，有蜂王、雄蜂、雌工蜂。但并非所有黄蜂都是社会性的。有些黄蜂是独居，独自住在洞里，独自捕猎，保护它们的下一代。

们那样害怕。"蜘蛛自有办法躲避危险。"她说。

　　弗瑞丝小姐把校车开向地面的几片叶子上。

她拉了一下仪表板上的控制杆，神奇蜘蛛校车就用前脚举起了叶子。

"暗门！"蒂姆大叫，"太厉害了！"

门的下面是蜘蛛洞。神奇蜘蛛校车用八只脚爬进去，然后把暗门放回远处，遮住入口。

"这个洞穴是暗门蛛的，"弗瑞丝小姐解释道，"我肯定它不会介意咱们借用它家几分钟。"

弗瑞丝小姐用车腿把暗门打开一条缝，好让我们看到黄蜂。大家现在在洞里很安全，黄蜂够不着我们。但我们看见别的蜘蛛就没这么幸运了。一只棕色的暗门蛛逃进另一个洞穴—— 可速度不够快。

"啊呃！"菲比觉得遗憾。当黄蜂刺起暗门蛛，送到嘴边时，她吓得缩成了一团。

"呀！我想起来了，食物链是地球生态很重要的一部分。" 我闭上眼睛，"可这不表明我要亲眼看到它！"

　　"别担心，汪达。"弗瑞丝小姐说，"暗门蛛不会马上就成为黄蜂的大餐的。"

　　我又睁开眼睛说："真的吗？"

　　多罗西回答道："不会的。成蜂大部分都吃花蜜，不吃别的昆虫。"

　　"当它们捕到活的猎物时，"弗瑞丝小姐说，

黄蜂的婴儿食品

汪达

　　当黄蜂螫咬猎物时，并不会杀死它，只是让它瘫痪。然后，黄蜂会把猎物运回巢里，将猎物与蜂卵一起封在洞里。几天后，卵孵化出来，饥饿的幼虫就会吞下还活着的猎物。4～10天后，猎物被吃空，只留下外壳。

"会把猎物带回巢里，留给即将孵化出来的幼虫。"

不得不承认，我学到了很多有关掠食性昆虫的知识。这样获得的知识远远超过我想知道的！

"我很高兴本人的昆虫宠物是可爱的小瓢虫，而不是黄蜂。"我说，"斑点和旋风从来不伤害飞虫——或别的任何昆虫！"

"要打赌吗？"弗瑞丝小姐的眼里带着挑战的意思。

她把神奇蜘蛛校车开出暗门蛛的洞穴，来到花梗上。

"嘿！大家看！"蒂姆说。

"是毒牙吗？"拉尔夫满怀希望地问。

阿诺德摇摇头。毒牙还是不知去向。但斑点和旋风都在那里，它们并不孤独！

"看！他们正在吃蚜虫！"凯莎说。

要不是亲眼所见，我说什么也不会相信。但的确是斑点和旋风，正在贪婪地咀嚼着小蚜虫，一只接一只！

"原来这样啊！"我大叫，"我的小瓢虫不只是可爱的小昆虫，它们也是凶猛的掠食者！"

9

"瓢虫不是罪犯，汪达。"弗瑞丝小姐指出，"吃其他生物本来就是昆虫猎手应该做的事情。"

我再仔细想想，觉得她的话是对的。"我想瓢虫是得吃些东西。"我说，"吃掉蚜虫可以除去危害花草树木的虫子。"

"对植物来说是好事—— 对人类也是。"卡洛斯说。

"没错！"弗瑞丝小姐表示赞同。

现在找到我的瓢虫了，大家开始计划怎么把它们抓回来。但我的内心并不想这么做。

"斑点和旋风在野外把自己照顾得很好，"我说，"或许我们应该把它们留在这里。"

　　"它们的确很棒，保护自己不被掠食者吃掉。"多罗西说，"它们还找到了许多食物。"

　　可以肯定，斑点和旋风吃下蚜虫的速度和发现它们一样迅速！

　　"说什么也找不到足够的蚜虫喂它们。"我说，"如果把它们从野外带走，将是个大错误。"

　　我知道我做了一个正确的决策——斑点和旋风属于这里。

瓢虫是个超级食客

汪达

　　一只瓢虫在它的一生里会吃掉五千多只蚜虫。真是能吃的家伙！

　　"那毒牙呢？"拉尔夫问，"它习惯于温暖的环境，但几个星期后，天气就会开始变冷。我们必须找到它！"

　　我开始想像最坏的情况。到目前为止，关于毒牙的消息一点儿都没有。它不会已经被掠食者捕到了吧！

　　弗瑞丝小姐摁下一个按钮，神奇蜘蛛校车开始用八只脚爬过草丛。我们一直把脸贴在车窗上，睁大眼睛寻找毒牙。

　　"哇！"车底一阵摇晃，我抓住前座问，"怎么了？"

　　感觉像地震，不过还有叫声。

　　"是只狗！"菲比说。

　　我们看到一只巨大的金黄色猎犬一路越过草地，朝我们这边跑来了。

　　相信我，我说的是"巨大"，真是这样。我们太小了，那条猎犬看起来就像一座会奔跑的

巨型山。

　　"我表哥的狗会追蜘蛛。"蒂姆说，"也许我们该躲起来！"

　　弗瑞丝小姐踩下油门，神奇蜘蛛校车冲向一个红色的大圆顶。

　　"我的棒球帽！"拉尔夫大叫。

　　这顶帽子就在刚才我和拉尔夫相撞摔出去的草地上。真高兴它还在！我们躲在帽子下面。

不一会儿，"巨型"猎犬轰隆轰隆地离开了。

"像狗这样的大动物真会把昆虫和蜘蛛这样的小东西震飞。"阿诺德说。

千真万确！我们彼此紧紧地抓住，这样才不至于跌出去。过了一会儿，大家发现拉尔夫的帽子下还有——

"那是……"阿诺德紧张地说。

"毒牙！"拉尔夫大叫。

是的，那是拉尔夫的狼蛛。我从没想到，看见这样一只毛毛的大蜘蛛，自己会这么开心。但看到毒牙那一刻，我真的好兴奋！

"我敢打赌，它一直都躲在这里面。"我说。

"狼蛛一直有个可怕的名字，但它们其实十分胆小。"弗瑞丝小姐告诉大家。

"当受到惊吓时，毒牙一般会躲起来。"拉尔夫补充道，"汪达和我摔出校车时，它可能被吓坏了，所以想找个避难所。"

多罗西点点头。"狼蛛与暗门蛛一样，常常躲在洞穴里面。"她说，"拉尔夫，你的棒球帽还真不错呀！"

弗瑞丝小姐脚踩油门，招呼着："毒牙，不要去别处！我们很快就回来！"

神奇蜘蛛校车冲出拉尔夫的帽子，我们越冲越快，直到车窗外都变成一片模糊的绿色。

接下来，神奇蜘蛛校车又变回神奇校车了。正常大小，我们也是！弗瑞丝小姐刚打开车门，拉尔夫就跑出去捡起他的帽子。

"还在！"拉尔夫大喊。他把毒牙捧起来，轻轻地放在掌心里。我从地上捡起装毒牙的玻璃缸，递给拉尔夫。

"任务完成了！"卡洛斯开心地说，"毒牙回到它的领地了。"

"斑点和旋风也回到属于它们的地方了。"凯莎说。

这时，我肚子里发出很大的声音，校车里的每个人都听得到。

"现在该做的，就是把我们的午餐放到属于它的地方，"我说，"我们的肚子里！"

同学们齐声欢呼。我想大家和我一样都快饿扁了！

"去汉堡店吃一顿？"弗瑞丝小姐建议。

大家面面相觑。

"不！谢了，弗瑞丝小姐。"我说，"经过这次实地考察，我们现在只想吃蔬菜。"

弗瑞丝小姐的教案

蜘蛛和昆虫的故事

你想过蜘蛛和昆虫都是神奇的动物吗？假如你想过，那你就会有很多的朋友！在不同国家、不同文化中，人们都流传着许多关于昆虫和蜘蛛的特别故事。来看看吧——

● 蜘蛛的名字（Arachnid），来自古希腊神话中的阿拉克尼（Arachne）。阿拉克尼织出的布完美极了，就连女神雅典娜也比不过。在一场织布比赛中，雅典娜输给了阿拉克尼。出于嫉妒，雅典娜想杀掉她。最后，雅典娜把阿拉克尼变成一只蜘蛛。从此，阿拉克尼的余生都花在吐丝结网上。

● 墨西哥的土著部落流传着这样一个故事：一个蜘蛛神名叫土可托，它编织了一个巨大的吊床撑起整个宇宙，创造了世界。

● 古埃及人相信金龟子是神奇的，也是神圣的。他们把金龟子带在身上当成护身符，而且配戴着设计成金龟子形状的首饰。他们相信这种甲虫能够保佑他们的平安。

● 19世纪，美国人相信蜘蛛能防病。为了健康，他们会把蜘蛛放在核果的外壳里，挂在脖子上。

● 在玻里尼西亚，人们认为只要能爬上蛛丝梯，就能升入天堂。

● 法国人相信，如果小孩迷路了，螳螂可

以告诉他回家的路。

● 根据非洲的传说，螳螂具有让死者复活
的力量。

来自《神奇校车》的词汇

工蚁	ergate
分类	classify
毛毛虫	caterpillar
甲虫	beetle
昆虫	insect
食物链	food chain
狼蛛	wolf spider
胸部	thorax
苍蝇	fly
蚊子	mosquito
蚜虫	aphid
掠食者	predator
栖地	habitat
节肢动物	arthropod
腹部	abdomen
蛹	pupa
蛾	moth
蜕皮	molt

来自《神奇校车》的词汇

群体	colony
蜻蜓	dragonfly
蜥蜴	lizard
蜘蛛	spider
蜘蛛网	spider web
蝙蝠	bat
蝗虫	grasshopper
复眼	compound eye
瓢虫	ladybug
蚂蚁	ant
螳螂	mantid
螫针	stinger
蟋蟀	cricket
猎物	prey
虫子	bug
触角	antenna
响尾蛇	rattlesnake
变态	metamorphosis

神奇校车

第三辑介绍

请搭上神奇校车，跟着神奇的弗瑞丝小姐和她那些稀怪顽皮的学生，历经一次接一次精彩又刺激的自然科学大探索……

神奇校车：穿越雷电

嗨，我是凯莎。你一定同意，天气是我们日常生活中特别重要的一部分。可你知道雨是如何产生的吗？你知道雷电是怎么形成的吗？你认识各种各样的云朵吗？嗯，有关气象的知识真是丰富多彩，快跟我一起去学习吧！

神奇校车：走进微生物

你们好！我是凯莎。一说起"细菌"，总让人觉得脏兮兮的。它是微生物大家族的一员。这个家族太大了，而且它们无处不在！你想知道细菌是怎么传播的吗？你想知道发烧是怎么回事吗？来和我一起变成小小的微生物吧！

神奇校车：逃离巨鲨

我是阿诺德。想不到吧，我们竟然亲眼见过鲨鱼！我们看见了很多种鲨鱼，见识了它们的超级感官能力，了解了各种鲨鱼的牙齿……这可不是一般的历险，因为我成了大家心目中的英雄，快来跟我一起出游吧！

神奇校车：拜访企鹅

我是弗瑞丝小姐班上的学生菲比。这次，我们去了南极洲，地球的最南端。南极洲的动物可有趣了，人见人爱的企鹅就生长在南极，那里还有冰山、

冰棚。对了，这回阿诺德还被一只企鹅妈妈指派了特别任务，快来瞧瞧吧！

弗瑞丝小姐班里的学生

神奇校车：巡航北极

大家好，我是蒂姆。你听说过北极吧？那里有温顺的北美驯鹿，勇猛的麝香牛，有趣的海豹，奇怪的旅鼠。最重要的是，著名的北极熊就生长在那里。这次带我们踏上旅程的可不是普通人物。怎么回事呢？快跟我来！

神奇校车：怒海赏鲸

嗨！我是汪达。听说鲸鱼是最大的哺乳动物，我从没想到有一天能那么近地看见它。鲸鱼到底是不是鱼？

你认识它们的喷雾吗？咭，还有很多有趣的知识，快跟我坐上"海星"号油轮去赏鲸吧。

神奇校车：跟踪昆虫

大家好，我是汪达。我有两只可爱的瓢虫宝宝。有一天，我的宝贝们失踪了，这可把我急坏了。不过，在寻找它们的过程中，我也对昆虫大家庭有了更多的了解。快和我一起去看看吧！

神奇校车：探寻蝙蝠

我叫拉尔夫，很高兴认识你们！蝙蝠是人类研究已久的动物，有关它们的事情和趣闻可多了。你想了解它们吃什么吗？你想知道它们住在哪里吗？你听说过回声定位吗？……让我慢慢讲给你听。

神奇校车

第一辑介绍

　　请搭上神奇校车，跟着神奇的弗瑞丝小姐和她那些精怪顽皮的学生，历经一次接一次精彩又刺激的自然科学大探索……

神奇校车：地球内部探秘

　　弗瑞丝小姐要求大家带石头到学校来，可许多同学都忘了。哈哈，又有机会出去上课了！每个人都抓把铲子或电动钻路机开始向下挖。神奇校车钻穿地壳，进到地球中心，又从火山冒出来。跟着最另类的地球科学老师，来趟前所未有的惊奇之旅，直攻地球科学的核心！

神奇校车：在人体中游览

　　弗瑞丝小姐和她班上的学生正坐在神奇校车上要前往博物馆。但就在大家停下来吃午餐时，灾难发生了。校车不但缩得很小，还掉入一包"奶酪饼"中，整班学生连人带车被吞了下去！这下子，弗瑞丝小姐的学生只有从人体内观看人体的一切了。他们首先穿越胃，小肠，进入血液；接着又去向心脏、肺和大脑。大家怎样才能离开人体呢？快来看看吧！

神奇校车：漫游电世界

　　弗瑞丝小姐和班里学生坐着神奇校车全部都缩小到可以钻进一条电线里，展开了一场"电的冒险之旅"。他们先到发电厂，仔细地参观电是怎么被"发"和"传"出来的；接着跑进图书馆的灯泡中，看它如何发亮；再到餐厅的烤面包机里，看它是怎么烤面包的；然后钻到菲比家的电器里，去看电锯怎样锯东西、吸尘器怎么吃灰尘、电视怎么产生影像和声音……最后，大家再从学校的插座里冒出来，回到教室。

神奇校车：水的故事

　　当弗瑞丝小姐宣布这次的校外教学要去自来水厂时，谁也没料到，这次"水的旅行"竟会那么惊险刺激！神奇校车一飞冲天，停在一朵白云上。全班学生顿时变成了大大小小的雨滴，先跌落到山中的小溪里，流浪到水库，又潜进了自来水厂，经过洗澡、消毒后，大家泡在了配水塔里，然后再钻进输水管，一路游到学校的女生厕所，哗啦啦——哗啦啦——嘿！全班同学一起从洗手台的水龙头里喷射出来……

神奇校车：海底探险

在弗瑞丝小姐的带领下，神奇校车载着同学们直接驶入海洋。过程惊险刺激，同学们可以下海去欣赏这些五彩缤纷、形形色色的海洋生物！神奇校车先驶过沙滩的"沙岸潮间带"，再进入"岩岸潮间带"，接着登上"大陆架的浅海域"，又沿着大陆斜坡往下驶入黑暗无光的"深海生态系"，最后在上升返航途中造访最美丽的"珊瑚礁生态系"。大家认识了各类不同的海洋生态系，了解了许多课本上没有的海洋知识。

神奇校车：奇妙的蜂巢

在这一次旅程中，神奇的校车变成了一辆蜂巢巴士，弗瑞丝小姐和她的学生们变成了小蜜蜂。大家一定要想办法混进蜂巢内，才能获得关于蜜蜂群体生活的第一手资料。书中将现实、幻想、冒险和幽默融合在一起，带领小读者探索蜜蜂的生活，发现它们是如何寻找食物、建筑巢室、制造蜂蜜和蜂蜡，了解它们照顾后代的方法。昆虫的生活原来是如此复杂多变、神奇美丽。

神奇校车：迷失在太阳系

弗瑞丝小姐班上的学生个个兴高采烈，因为他们要去参观天文馆。可谁知竟然休馆了！幸好，神奇的老师有办法挽救这一切。校车变成了一艘太空船，直接穿越了大气层，载着弗瑞丝小姐和班上的同学冲向月球和更远的外太空！对弗瑞丝小姐来说，这虽然只是踩一下油门踏板的一小步，但对神奇校车来说，却是扩大想像力的一大步——快跟随神奇校车飞入太空，展开前所未有、最棒的太阳系探索之旅吧！

神奇校车：追寻恐龙

弗瑞丝小姐要带她的学生去挖掘恐龙，看一看恐母龙的巢穴。但当同学们一到化石的国度，校车就化身成时光机器，送他们回到遥远的史前时代——恐龙仍在地球上悠游逛逛的时代。大家认识了各式各样超强的恐龙，还有它们的各种特性、本领，并探讨恐龙灭绝的原因；跟着最神奇的老师走一趟三叠纪、侏罗纪与白垩纪之旅，下载最新的恐龙资讯。快穿上你的迷彩装吧！

神奇校车：穿越飓风

有一股飓风正在热带海洋上空狂吹……一个怪异的黄色物体被卷入飓风漩涡当中。那是一个热气球……那是一架飞机……那是神奇校车！弗瑞丝小姐班上的同学没有到气象观测站参观，而是亲身在陆、海、空彻底体验了飓风。你可以在这里学到空气的变化如何影响天气的知识。当你置身飓风之中，风、雨、雷、闪电将呈现新的面貌！

神奇校车：探访感觉器官

对弗瑞丝小姐班上的学生来说，幽默当然最重要！不过在最近一次探险中，他们又学到了视、听、嗅、味、触和其他更多的感觉！当弗瑞丝小姐离开学校时，忘了一件重要的事，新来的校长助理先生冲上神奇校车要去追地，整班的学生也一窝蜂跟上。就在一天将尽之前，他们一路跟踪弗瑞丝小姐，畅游了人的眼睛、耳朵、舌头，甚至跑到一只狗的鼻子里去玩过了。

神奇校车

第二辑介绍

神奇校车：腐烂小分队

今天是"奇特科学项目"日。同学们得从自家的冰箱里找出一种霉变得很厉害的东西，带到学校里来。大家在做这件事情的时候，觉得很恶心。可当神奇校车开进腐朽的木头里时，大家发现，看似死的东西其实都是活的，而且还很奇妙呢。快来参加弗老师班上的"腐烂"冒险吧！

神奇校车：有趣的食物链

今天是海滩日，全班同学都兴高采烈——除了阿诺德和凯莎。他俩忘了做关于海边生物的报告。他们只带了金枪鱼三明治和一些臭的池塘绿藻。这两样东西与海滩日有关联吗？"学习的最好方法就是身临其境。"弗瑞丝小姐对大家宣布。一秒钟后，神奇校车冲入海中！

神奇校车：光与植物

什么地方搞错了？为了寻找答案，弗瑞丝小姐把菲比变成一株豆类植物。班上其他同学被缩小，钻进旁边的一棵植物里，去瞧瞧植物究竟吃些什么才能长大。来！让我们坐着神奇校车去进行一次奇妙的旅行，看看植物体内那间充满奥妙的食物生产工厂，解开"光合作用"的秘密！

神奇校车：把热留住

啊呃！阿诺德的热可可已经凉了。热跑到哪里去了？我们的弗瑞丝小姐肯定有办法！这回，我们和弗瑞丝小姐一起去北极圈，大家不仅知道了怎样让自己暖和起来，还学会了如何把身上的热留住。我们可爱的班级蜥蜴——里兹，又将如何在北极生存呢？

神奇校车：愉快飞行

怎么样才能飞起来呢？弗瑞丝小姐和班上的同学一起缩小到模型飞机里，他们找到了问题的答案。大家在一只老鹰的启发下，学习了怎样把飞机升上天，怎样在天上一直飞行，怎样驾驶飞机向左、向右转弯。胆小的阿诺德这次竟成了英雄！快来吧，飞翔的感觉真的很棒！

神奇校车：光的魔法

全班同学去看"发光表演"，可表演结束，阿诺德和他的表妹珍妮就失踪了！这时，整个戏院也都停电了。难道这家戏院闹鬼吗？紧接着，大家看见舞台上的鬼影子——竟然像极了阿诺德！凯莎知道那肯定是场恶作剧，但究竟是怎么变出来的呢？幸好，弗瑞丝小姐开着神奇校车过来了……

本书作者乔安娜·柯尔女士生于1944年。在开始创作儿童读物之前，她做过小学教师、图书管理员、儿童读物编辑；现在专事写作。迄今为止，乔安娜已经创作了九十多本儿童书。

尽管乔安娜的书里包括童话和故事，但她总把自己首先定位为一名科普作家。乔安娜的作品广受科学界的赞扬，她以清晰、全面、易懂的创作向孩子们解释了复杂的科学主题。乔安娜曾因其在童书领域的卓越贡献，而获得华盛顿邮报童书协会的非小说类大奖，以及大卫·麦考文学奖。

本书插图作者布鲁斯·迪根先生出生于1945年。他非常热爱大自然，绘制过三十多本童书，包括杰西熊系列丛书(Jesse Bear series)。布鲁斯先生还是《离家远航》和《浆莓》两书的作者兼绘者。虽未受过专业插图训练，但他拥有向孩子和成人教授艺术的经历。

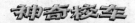

我 的 笔 记

我
的
笔
记